JUMP COMICS

ジョジョの奇妙《きみょう》な冒険《ぼうけん》

Part 6

ストーンオーシャン

10

(73)

AWAKEN《アウエイクン》-目醒《めざ》め

荒木飛呂彦《あらき・ひろひこ》

ジョースター家《け》のルーツ

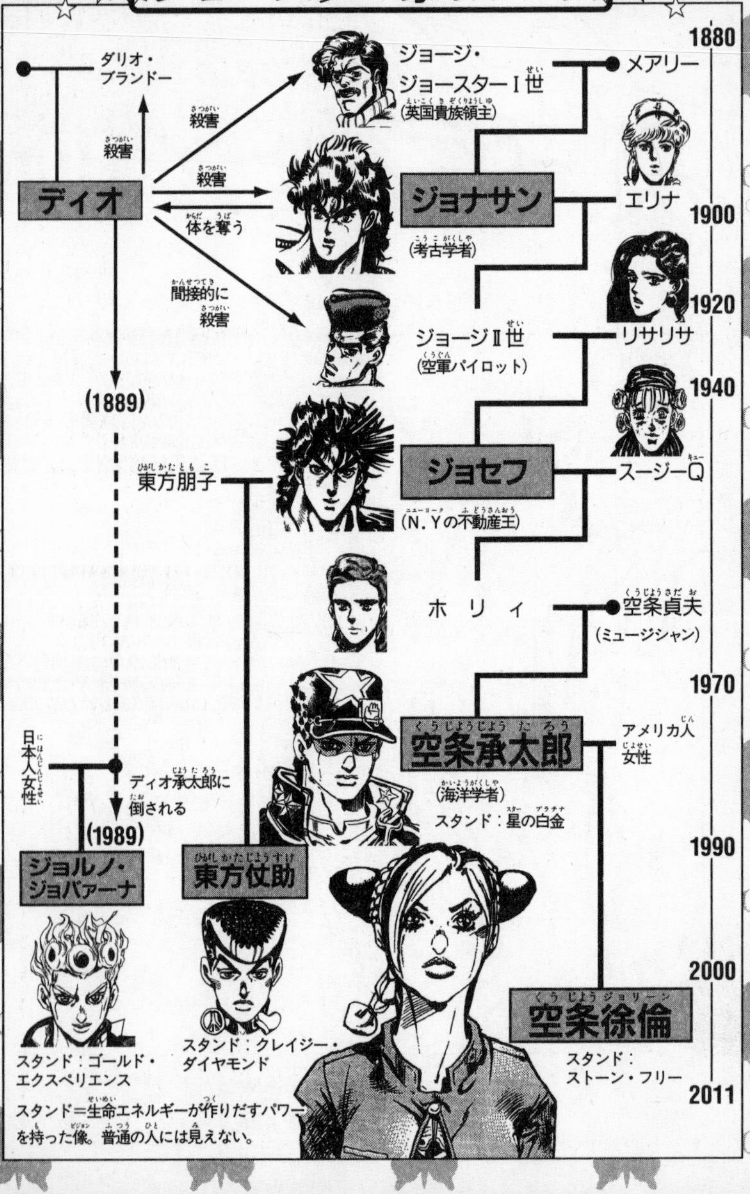

スタンド＝生命《せいめい》エネルギーが作《つく》りだすパワーを持《も》った像《ビジョン》。普通《ふつう》の人《ひと》には見《み》えない。

フー・ファイターズ
本体《ほんたい》：フー・ファイターズ

ナルシソ・アナスイ
スタンド：
ダイバー・ダウン

空条徐倫《くうじょうジョリーン》
スタンド：
ストーン・フリー

エンリコ・プッチ神父《しんぷ》
スタンド：
ホワイトスネイク

ヨーヨーマッ
本体《ほんたい》：D《ディ》アンG《ジイ》

緑色《みどりいろ》の赤《あか》ちゃん
スタンド：？

前巻《ぜんかん》までのあらすじ

これは一世紀《せいき》以上《いじょう》にわたるディオとジョースター家《け》の因《いん》縁《ねん》の物語《ものがたり》である…。

二〇一一年《ねん》のアメリカ。空条徐倫《くうじょうジョリーン》は恋人《こいびと》とドライブ中《ちゅう》に人《ひと》を撥《は》ねてしまう。弁護士《べんごし》たちに陥《おとしい》れられ、徐倫《ジョリーン》に刑期《けいき》15年《ねん》の判決《はんけつ》が下《くだ》る。徐倫《ジョリーン》は州立《しゅうりつ》グリーン・ドルフィン・ストリート刑務所《けいむしょ》に収監《しゅうかん》された。徐倫《ジョリーン》を刑務所《けいむしょ》から出《だ》すため面《めん》会《かい》に訪《おとず》れた承太郎《じょうたろう》は刑務所《けいむしょ》の神父《しんぷ》が操《あやつ》るスタンド、ホワイトスネイクに記憶《きおく》とスタンドをDISC《ディスク》化《か》して奪《うば》われてしまう！ 徐倫《ジョリーン》たちはF《フー》・F《ファイターズ》から承太郎《じょうたろう》のスタンドDISC《ディスク》をゲット。スタンドDISC《ディスク》はSPW財団《スピードワゴンざいだん》に届《とど》いた。懲罰房《ちょうばつぼう》に送《おく》られた徐倫《ジョリーン》はディオの骨《ほね》を探《さが》すが、ケンゾーの襲撃《しゅうげき》を受《う》ける。アナスイがケンゾーを倒《たお》す間《あいだ》に「骨《ほね》」は懲《ちょう》罰房《ばつぼう》の囚人《しゅうじん》を植物化《しょくぶつか》。その中《なか》には緑色《みどりいろ》の赤《あか》ちゃんが入《はい》った実《み》があった。実《み》を飲《の》んだ自動追跡型《じどうついせきがた》の敵《てき》スタンド、ヨーヨーマッと共《とも》に刑務所脱出《けいむしょだっしゅつ》を計《はか》る徐倫《ジョリーン》とアナスイだが⁉

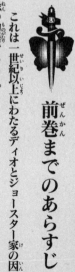

ジョジョの奇妙な冒険
Part6
ストーンオーシャン

10

(73)

AWAKEN《アウエイクン》-目《め》醒《ざ》め

CONTENTS

ゴゴゴ
ゴゴ
ドドドド
ヨーヨーマッが来る！　その⑤
ヨーヨーマッ……
……!?
?
ハァ

『ヨーヨーマッ』
それがわたくしの名前《なまえ》ですゥ……
『ヨーヨーマッ』
ドドドッ
カエルの皮《かわ》をなめす時《とき》はでもね…
皮《かわ》の裏側《うらがわ》に脂肪《しぼう》と脳《のう》ミソをトロトロにまぜた溶液《ようえき》を こーやって
すりこむよーにして塗《ぬ》るんですゥ―
ヨーヨーマッが来《く》る！
その⑤

しなやかな
皮《かわ》を完成《かんせい》
させるためにね
……
もし
お望《のぞ》みなら
あと10匹《びき》ぐらい
つかまえて
皮《かわ》でクールな
スーパー
ミニスカートとか
仕立《した》てましょうか?
……
徐倫《ジョリーン》……
どこまでも
脚《あし》が長《なが》くみえて
ヒップがプンと
上《あ》がってる
デザインですゥ
おまかせくださいィ
……
ヒップのサイズは
87センチ?
脚《あし》の長《なが》さは
108センチといった
ところですか?
どうか
したのか?
……まじに……

ゴゴゴゴ
攻撃《こうげき》して来《こ》い……『自動追跡《じどうついせき》のスタンド』…
きつかけが必要《ひつよう》だというのなら
…こいつの攻撃《こうげき》にはきつかけがあつて そして自動的《じどうてき》というのなら……!!
ゴゴゴゴ
……
?
ゴゴゴゴ
?

……
ドドド……
ドドド

ド

ドドドドドドドド
これを待《ま》っていた……!!
『糸《いと》』を皮膚《ひふ》にはりめぐらせ何《なに》かがふれるのを…
蚊《か》だ
攻撃方法《こうげきほうほう》はわかった!
あたしの…口《くち》の中《なか》を溶《と》かす…こいつの方法《ほうほう》が!!
徐倫《ジョリーン》…
こ…これは…!!
ば…ばかな…

す…すでにこれは——ッ!!
徐倫《ジョリーン》ッ!
攻撃《こうげき》方法《ほうほう》は……
ち…違《ちが》うのか?
か…蚊《か》ではないッ!

い……いや
「蚊《か》」以外《いがい》の方法《ほうほう》でも
襲《おそ》って来《き》てるという事《こと》か
……他《ほか》にある……
ア…アナスイに…
アナスイに
教《おし》えようと思《おも》ったのに
……
攻撃方法《こうげきほうほう》を……
まさか…ま…まずい
一対《たい》一に…
なってしまう！
ドドド
ドド
ドドドド
ザアア〜
ドド

ドドドド
Be All Eyes
決《けっ》して目《め》を離《はな》すな
ド
ドドド
き…きさまはッ!!
だんな様《さま》…

わたくし…まだ…
……
この艇《ボート》の運転《うんてん》続《つづ》けますか？
それとも一対《たい》一…
このわたしと闘《たたか》いますか？
ドドドド
ドド
ほんの10数分《すうふん》の間《あいだ》だぞ
ドドドド
ド
10数分《すうふん》…ばかしだぞ
……
いったい これをどう報告《ほうこく》すればいいんだ…！
誰《だれ》か説明《せつめい》できる者《もの》はいないのか！

何《なん》なんだ!?
この懲罰房棟《ちょうばつぼうとう》の光景《こうけい》は!?
看守《かんしゅ》2名《めい》と囚人《しゅうじん》たち41名《めい》は
全員《ぜんいん》どこへ
消《き》えたのだッ!
ヤツは
どうなんだ…
あいつは まだ話《はなし》は
出来《でき》ないのか?
囚人番号《しゅうじんばんごう》
ME-140067
「D《ディ》アンG《ジー》」
現在確保《げんざいかくほ》されたのは
彼《かれ》ひとりだけですが
なにしろ左腕《ひだりうで》が
ちぎれそうになってる
重傷《じゅうしょう》です
…今《いま》…尋問《じんもん》は無理《むり》です

しかも この ちらばってる 枯《か》れた 植物《しょくぶつ》は何《なに》を意味《いみ》 しているというのだ!?
まず 医療班《いりょうはん》に 渡《わた》さないと…

看守《かんしゅ》に守《まも》ってもらってるつもりか……
うすらクソ不気味《ぶきみ》なスタンド送《おく》り込《こ》みやがって…
腕《うで》だけじゃあないぜ！その脳天《のうてん》にF《エフ》・F《エフ》弾《だん》をブチ込《こ》んでやるッ！
！……

なんだ…………

あいつは
確《たし》か……
……教戒師《きょうかいし》の『プッチ神父《しんぷ》』
看守《かんしゅ》どもが ここへ
来《く》るのはわかる…
神父《しんぷ》が何《なに》をやってるんだ
こんな状況《じょうきょう》の場所《ばしょ》で…
……………!?
しかも いったい……
あいつ まるで…
ド
ド
『D《ディ》アンG《ジー》』を
見張《みは》っているッ!?
ド
ド
ド

それとも
お逃《に》げに
なりますか？
ならば
だんな様《さま》
あなたが
この艇《ボート》から
お降《お》り下《くだ》さい
ドグシャア

ドドドド
ち…違《ちが》う…
こいつの攻撃《こうげき》方法《ほうほう》は他《ほか》にあるッ！……ア……アナスイ！
ドオオオオ
来《き》て
来《き》て
ここは…に…逃《に》げるべきよ………
緑色《みどりいろ》の子供《こども》を渡《わた》すことになってしまう……
でももう「一対《たい》一」!!―こいつはあんたに対《たい》し攻撃方法《こうげきほうほう》は隠《かく》したりしない！
逃《に》げるべきよ！あんたがそれを見《み》る時《とき》は……!!
次《つぎ》にその攻撃《こうげき》を見《み》る時《とき》は…
ベコ
ベコ
ベコ

…………
今《いま》がお逃《に》げになる……
「蚊《か》」じゃあないんだッ！見《み》え・な・い攻撃方法《こうげきほうほう》をこいつは持《も》ってるんだ!!
最後《さいご》のチャンスかと思《おも》われますが……
用意《ようい》をするんだ
てめーがこの世《よ》に生《う》まれて来《き》たことを後悔《こうかい》する用意《ようい》をだ！

<table>
<tr><td colspan="3">スタンド名《めい》―『ヨーヨーマッ』
本体《ほんたい》―D《デイ》アンG《ジー》</td></tr>
<tr><td>破壊力《はかいりよく》―C《シー》</td><td>スピード―D《ディー》</td><td>射程距離《しやていきより》―A《エー》</td></tr>
<tr><td>持続力《じぞくりよく》―A《エー》</td><td>精密動作性《せいみつどうさせい》―D《ディー》</td><td>成長性《せいちようせい》―C《シー》</td></tr>
<tr><td colspan="3">能力《のうりよく》―なんかイジめやすいやつ。
だが、そのヨダレは少《すこ》しずつ相手《あいて》を攻撃《こうげき》し
破壊《はかい》していく。攻撃方法《こうげきほうほう》を見《み》やぶらなけれ
ば、やられる。</td></tr>
</table>

A《エー》―超《ちよう》スゴイ　B《ビー》―スゴイ　C《シー》―人間並《にんげんなみ》　D《ディー》―ニガテ　E《イー》―超《ちよう》ニガテ

徐倫《ジョリーン》は艇《ボート》の先《さき》にいる!!
ドド
ド
おめーは船尾《せんび》だッ!
左舷《さげん》のスミに行《い》くんだッ!
ド
ド
ド
……
F《エフ》・F《エフ》-目撃者《もくげきしゃ》
その①

ボゴッ
ボゴ
ボゴ
ドドドド
ボゴ
ボゴ
ボ
ズド…

近《ちか》づいちゃぁだめだ……
ドドドド
ヤツは見《み》えない方法《ほうほう》で…少《すこ》しずつ「体液《ヨダレ》」で攻撃《こうげき》してくる……
早《はや》くそれを見《み》つけて防《ふせ》がないと……アンタもやられるッ！
あっという間《ま》にやられてしまうッ！
スミに寄《よ》ったら隠《かく》し持《も》ってる物《もの》を全部《ぜんぶ》出《だ》せ！
……
オレの足《あし》もとに全部《ぜんぶ》出《だ》して見《み》せるんだ！
ヨーヨーマッ……
あなたがそうしろとおっしゃるなら
はい
いわれた通《とお》りにしますが……だんな様《さま》

カブト虫《むし》が2匹《ひき》に……
カラオケのマイク……ノンカロリーシュガーの袋《ふくろ》
ロックバンドR《アール》・E《イー》・M《エム》のステッカーとカエルが3匹《びき》
カエルの生皮《なまかわ》一枚《まい》とブロッコリーひとたば
ピップエレキバンと
ヘビイチゴ4個《こ》とマッチの燃《も》えかす二本《ほん》
ボッ
ボッ
ボッ
ボッ
ボッ
ボッ

徐倫《ジョリーン》から離《はな》れてろッ！
伏《ふ》せてるんだ！もっと離《はな》れてうつぶせになってるんだッ！
バシャアア
違《ちが》う……!!「持《も》ち物《もの》」じゃあないそして離《はな》れるとか距離《きょり》も関係《かんけい》ない…
あたしたちはボートの進行方向《しんこうほうこう》！ヤツより風上《かざかみ》にいるのにどんどん攻撃《こうげき》をくらっているのだ……
自動追跡《じどうついせき》のスタンド…
攻撃目標《こうげきもくひょう》は
固定《こてい》されているというわけか？
本体《ほんたい》からの命令《めいれい》で彼女《かのじょ》が目標《もくひょう》で…徐倫《ジョリーン》を完全《かんぜん》に始末《しまつ》するまで逃《に》げないってわけなのか？
ドド
ドド
はい……
完璧《かんぺき》に固定《こてい》されています

空条徐倫《くうじょうジョリーン》に最初《さいしょ》から触《ふ》れた時《とき》からです
ヨーヨーマッ
そしてそばにいるというのならだんな様《さま》…
ついでにあなたをも始末《しまつ》するまでです

G.U.St
JAIL
ボッ
ボボッ
ボゴア
ボゴア
ボッ
ボッ
ヨーヨーマッ……
まだ理解《りかい》できませんか？
たとえ体《からだ》の　どの部分《ぶぶん》だろうと　わたしを破壊《はかい》したり止《と》める事《こと》は決《けっ》してできませんし
追跡《ついせき》センサーを壊《こわ》し　徐倫《ジョリーン》への攻撃《こうげき》を解除《かいじょ》する事《こと》も絶対《ぜったい》にありません…
お2人《ふたり》の唯一《ゆいいつ》助《たす》かる道《みち》は…
ドドド
ド
わたしから「逃《に》げる事《こと》」だけだったのですよ

この「艇《ボート》」を…アナスイ…
艇《ボート》を止《と》めるべきかも…もしかしたら…
いやありうるッ!
この艇《ボート》を止《と》めるべきよ……この飛《と》び散《ち》ってるしぶき!
ドドドド
もし…この艇《ボート》をとり囲《かこ》んでる「水《みず》」全体《ぜんたい》にすでにヤツが……
ドドドド
この攻撃《こうげき》の『体液《ヨダレ》』をまじり込《こ》ませていたら!……
今《いま》…艇《ボート》のしぶきがそれを舞《ま》い上《あ》げているッ!
ドドドド

ドドドド
よし 立《た》て！
次《つぎ》は 運転席《うんてんせき》に 行《い》きな
ボートの スピードを 上《あ》げろ
ボッ
ボッ
ボボッ
ボッ
ボッ
ボッ
ドドドド
風《かぜ》の 可能性《かのうせい》が ある
ホレ！ 起《お》きあがる んだ！
違《ちが》う…… 逆《ぎゃく》よ
艇《ボート》は 止《と》めないと！

攻撃方法《こうげきほうほう》は「風《かぜ》」なんかじゃあないッ！
スピードをさらに上《あ》げたりしたら…！
ド
だんな様《さま》
はい……
…………
そうしろとおっしゃるなら……

ドドドド
しぶきがますます舞《ま》いあがるッ！
ゴロ
……
ケケ
ケ
ゴロ
く
…？
う
ク
くっ

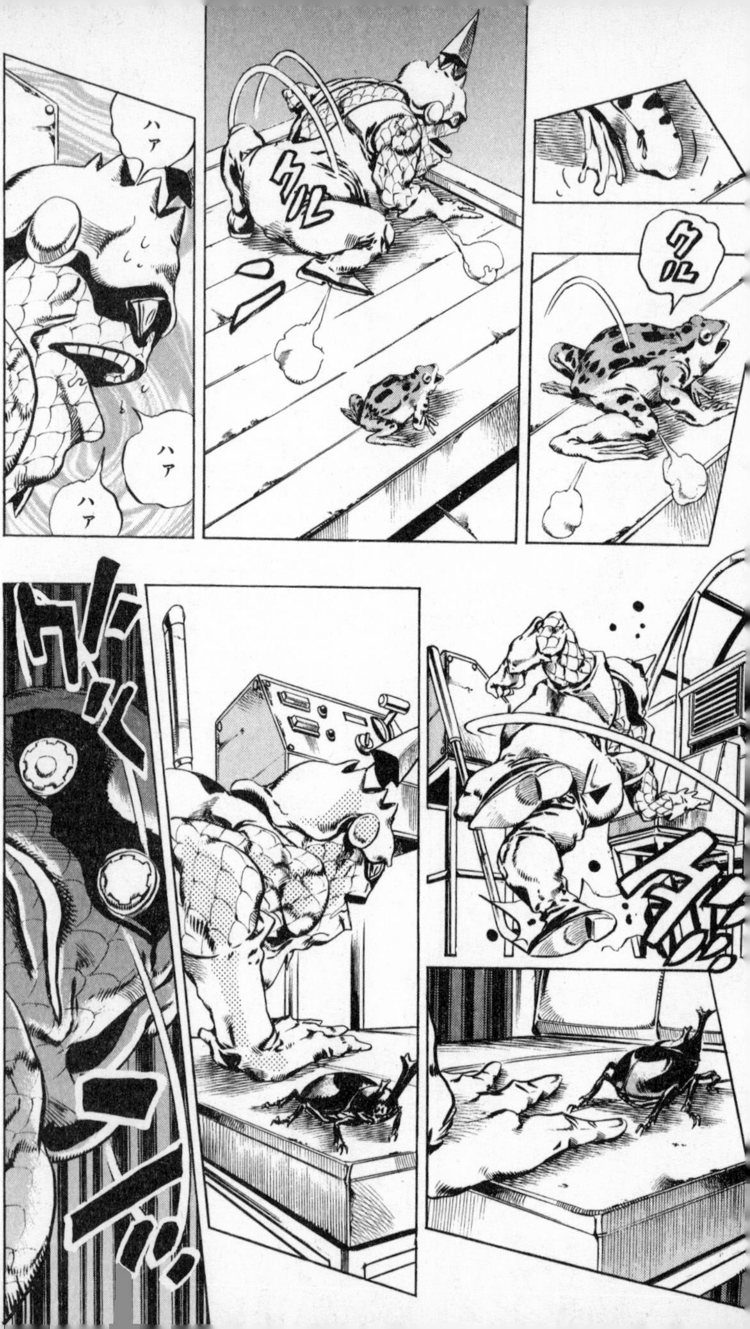
クル
クル
ハア
ハア
ハア
ダッ
グッ

……
ゴゴゴゴ
えと…
え——と!?
オ…
オレ……
……
チュルン

……
徐倫《ジョリーン》
どうやら止《や》んで来《き》たようだぞ
まだ艇《ボート》のスピードをあげてないのに……
……
ハッ
!
ピョン
ピョーン
……

ウギャギャギャギャ
ゲゲゲゲエエ
ゲ
ゲゲロ!!
な……なにやってんだ……!?…
ヨ……ヨーヨーマッ! な……なんか変《へん》だぞ
…………
隠《かく》れろッ! 隠《かく》れろッ!
うわっ! と…鳥《とり》だッ!
ゲ…ゲ! なんで起《お》きあがりにくいんだ?
隠《かく》れろ!
隠《かく》れろ!
…………
!

「ダイバー・ダウン」
こいつの攻撃方法《こうげきほうほう》が…
「何《なに》か」なんてどーでもいい…
こいつが完璧《かんぺき》な自動追跡型《じどうついせきがた》スタンドというなら……
こいつの頭《あたま》の中《なか》に…
カエルをうめ込《こ》んで……
その「脳《のう》」を追跡《ついせき》センサーにつないだ

カエルの気持《きも》ちになって一生《いっしょう》追跡《ついせき》して来《き》な……!!
えーと……えーと……なにするんだっけな？!!そうだ！
わたじは自動追跡《じどうついせき》！わたじへの指令《しれい》は空条徐倫《くうじょうジョリーン》を始末《しまつ》し……「緑色《みどりいろ》の子供《こども》」を持《も》ち帰《かえ》ること……
こんな事《こと》をしてる場合《ばあい》じゃあない！

ヨ…
ヨダレを舞《ま》い上《あ》げてアナスイを攻撃《こうげき》しなくては!……
プロペラにビニールをこすらせ……
「静電気《せいでんき》」を起《お》こしているッ!
その磁気《じき》の反発《はんぱつ》でヨダレのツブをまき散《ち》らすのだッ!
こいつは絶対《ぜったい》に気《き》づかれねエーーッ
でも思《おも》わず鳥《とり》にビビッちまうぅぅーーッ
隠《かく》れろ!隠《かく》れろッ!
あれ……?
えーとえーと何《なん》だっけ追跡《ついせき》して…
うげっ!カエルみてーに小便《しょうべん》チビってるゥゥゥーーッ
うひょおぉーーッ
超《ちょう》カワイィーーッ♡
追《お》っかけろーーッ
追《お》っかけろーーッ
ナ…ナ!ナイスボディだアア♡

のっかりてェ――
のっかりてェ――ッ
おっ カブト虫《むし》
えーと えーと……な なんだっけ？
ドドドド
傷《きず》の手当《てあ》てには「F《エフ》・F《エフ》」が必要《ひつよう》だ……
あとは「D《ディ》アンG《ジイ》」を仕止《しと》めて戻《もど》るのを待《ま》つだけだ
バッ

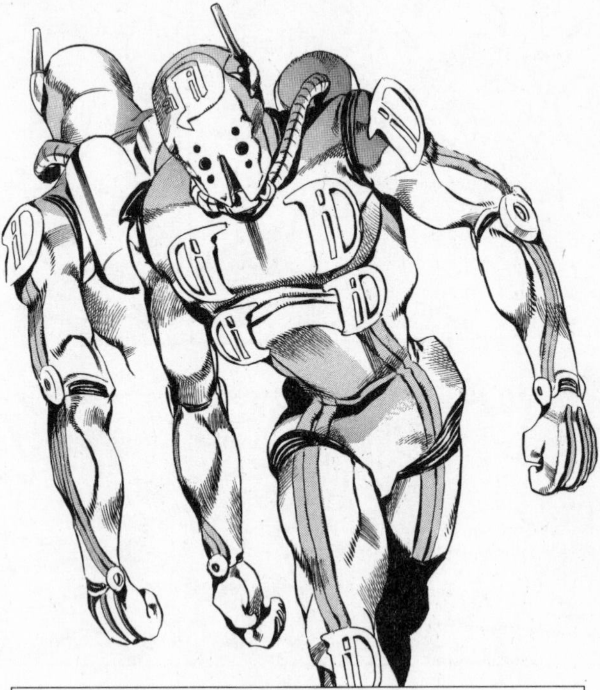

スタンド名《めい》—『ダイバー・ダウン』
本体《ほんたい》—アナスイ

破壊力《はかいりよく》—A《エー》	スピード—A《エー》	射程距離《しやていきより》—E《イー》
持続力《じぞくりよく》—C《シー》	精密動作性《せいみつどうさせい》—B《ビー》	成長性《せいちようせい》—B《ビー》

能力《のうりよく》—物体《ぶつたい》の中《なか》へもぐり込《こ》む。その内部《ないぶ》の構造《こうぞう》までも破壊《はかい》したり、ついでに組《く》み立《た》て直《なお》したりする。

A《エー》—超《ちよう》スゴイ　B《ビー》—スゴイ　C《シー》—人間並《にんげんなみ》　D《デイー》—ニガテ　E《イー》—超《ちよう》ニガテ

あのD《ディ》アンG《ジー》が負《お》っている
左腕《ひだりうで》の負傷《ふしょう》
ヤツが……
重傷《じゅうしょう》をくらっているって……
ことは つまり……
空条徐倫《くうじょうジョリーン》は
……この近《ちか》くのどこかで
まだ生《い》きていると
推測《すいそく》せざるを得《え》ない……
そして ここの上《うえ》にある
懲罰房前《ちょうばつぼうまえ》で枯《か》れ朽《く》ちている
大量《たいりょう》の植物《しょくぶつ》のカス…
ゴゴゴ
あれは「DIO《ディオ》の骨《ほね》」の
仕業《しわざ》と
考《かんが》えるべきだ
「DIO《ディオ》の骨《ほね》」が
囚人《しゅうじん》どもを
利用《りよう》して
わたしの想像《そうぞう》を
越《こ》える
何《なに》かをやり始《はじ》めた
という事《こと》だ…

359
367
373
379
389
397
そして400台《だい》……は……
ブツブツ
ん……と……
400台《だい》の素数《そすう》は……
まず401に……
409
419……
421
431
ゴゴゴゴ

くそっ…プッチ神父《しんぷ》がこんな場所《ばしょ》で…何《なに》をしているのか………あたしと…『D《ディ》アンG《ジー》』との間《あいだ》に入《はい》りやがって…
ここで最《もっと》も重要《じゅうよう》な事《こと》は「D《ディ》アンG《ジー》」の確実《かくじつ》な死《し》だ
一刻《いっこく》を争《あらそ》う……
「D《ディ》アンG《ジー》」の再起不能程度《さいきふのうていど》ではだめだ……「緑色《みどりいろ》の子供《こども》」も盗《と》られているし
自動追跡《じどうついせき》のスタンドを消《け》すには完璧《かんぺき》にヤツの息《いき》の根《ね》を止《と》めなくては…

F《エフ》・F《エフ》-目撃者《もくげきしゃ》

その②

PRIVILEGE CARD

名前《なまえ》：D《ディ》アンG《ジー》　年齢《ねんれい》－32

囚人番号《しゅうじんばんごう》　ME－14067

罪状刑期《ざいじょうけいき》　殺人《さつじん》。有罪《ゆうざい》になったものだけで刑期《けいき》20年《ねん》。

元警官《もとけいかん》であったが、1999年《ねん》のノストラダムスの大預言《だいよげん》を信《しん》じどうせ地球《ちきゅう》が滅亡《めつぼう》するならと普段恨《ふだんうら》みに思《おも》っている人々《ひとびと》を職務《しょくむ》を利用《りよう》して殺害《さつがい》し、証拠《しょうこ》を隠滅《いんめつ》した。元警官《もとけいかん》は刑務所《けいむしょ》に入《はい》ると命《いのち》を狙《ねら》われるので懲罰房棟《ちょうばつぼうとう》に収容《しゅうよう》されていた。

スタンド名《めい》　『ヨーヨーマッ』

好《す》きな映画《えいが》　「ショーガール」

457
461
463 467
すばらしいぞ…
ゴゴゴゴゴ
ついに始《はじ》まったと考《かんが》えるべきだ！
22年間《ねんかん》………これを待《ま》っていたッ!!
「D《ディ》アンG《ジー》」がここで見《み》たものを！……ヤツ自身《じしん》から早《はや》く聞《き》き出《だ》さなくてはッ！

なぁ……「サバイバー」のグッチョ！
君《きみ》は何《なに》も見《み》ていなかったようだが
植物《しょくぶつ》からはきっと何《なに》かが生《う》まれたはずなのだ
祝福《しゅくふく》すべきだと思《おも》わないか？グッチョ
それがこれからわたしの手《て》に入《はい》る……
真《しん》の幸福《こうふく》とは何《なに》か？
「天国《てんごく》」が手《て》に入《はい》る!!
生《う》まれたものが「天国《てんごく》」なのだ!!
讃美《さんび》しろ……!!
COMPACT disc DIGITAL AUDIO
ILIPS
HÄNDEL
MESSIA
conducted by
John Eliot Gar
新《あたら》しい世界《せかい》が幕《まく》を開《あ》けたという事《こと》を！……

ハーレルヤ
ハーーレルヤ
ハレルヤ
いいぞ…!!
この感動《かんどう》を
称《たた》えるのだ…

ハレルヤ！
ハレルヤ
ハレルヤ
ハレェエ〜ル
ヤァアア〜〜〜〜
全能《ぜんのう》にしてェ〜〜〜
主《しゅ》なる
われらの
神《かみ》〜〜〜
まさに！ふさわしい！
音《おと》が輝《かがや》きを放《はな》つようだ
ヘンデル作《さく》「メサイヤ」
最高《さいこう》の名演《めいえん》……
ガーディナー指揮《しき》
'82年録音《ねんろくおん》
ヘンデルはこの自らの最高傑作《さいこうけっさく》を死《し》の前日《ぜんじつ》まで演奏《えんそう》し続《つづ》けたと言《い》う
よし！応援《おうえん》が到着《とうちゃく》したようだぞ！
この「D《ディ》アンG《ジー》」は医療班《いりょうはん》に任《まか》せて手当《てあ》ての後《あと》で尋問《じんもん》だ！
我々《われわれ》は全《すべ》ての捜索《そうさく》をするのだ……他《ほか》の囚人《しゅうじん》がどこへ消《き》えたのかを……

果《は》たして事態《じたい》の答《こた》えが解明《かいめい》できるのかどーかは見当《けんとう》もつかないが
行《い》くぞ!!
いや尋問《じんもん》は……
ス…
ゴゴゴゴ
ヤツの手当《てあ》てをする前《まえ》だ!!

何《なに》が生《う》まれたのか……
それを見失《みうしな》うのはまずいッ！
よしドアを閉《と》じてくれ！
ガシャン
車《くるま》を出《だ》すぞ
コッ
コッ
はい
!?……

ガチャ
ドド
ドド

あ……
あいつはッ！なんだど!?
あの帽子《ぼうし》の下《した》にある
あの「顔《かお》」はッ!!
パチ
くらいな
自動《じどう》追跡型《ついせきがた》スタンドを持《も》つ者《もの》は！
『逆襲《ぎゃくしゅう》される時《とき》は無防備《むぼうび》』！それがリスクだッ!!
『フー・ファイターズ』だ!!
なぜこの懲罰房《ちょうばつぼう》にいるッ！いつからッ！
ドドドド
まずいッ！「D《ディ》アンG《ジー》」を狙《ねら》っていたッ！

ドバ
ドバ
ドバ

ボゴエアア
ボゴ
ボゴ
ボゴゴ

グギ
グギギ
グギ
!?
アガガ
アガ…
ごごごご
ごごごっ

ごごごごご
ごごご…
ごわっ
ごばっ
こ…これは!? こいつは!!
これは!? こいつはッ!
頭《あたま》につき刺《さ》さっているッ!
……投《な》げ刺《さ》したのかッ!!
救急隊員《きゅうきゅうたいいん》の頭《あたま》に…
『DISC《ディスク》』が!
!!?
ごば
あ
『ホワイトスネイク』が
いるッ!
『DISC《ディスク》』で
操《あやつ》っているッ!
ど……どこだ!?
どこから
『DISC《ディスク》』を
投《な》げたのだ!?

……
ゴ
ゴ

433
439
443
……
449
まさか…
投《な》げたのは…

きさまはッ！
困《こま》る……
とても困《こま》るんだ
今《いま》…君《きみ》が「D《ディ》アンG《ジー》」を襲《おそ》ってるっていう事《こと》は…彼《かれ》のスタンド…「ヨーヨーマッ」が今現在《いまげんざい》…徐倫《ジョリーン》を追跡中《ついせきちゅう》という事《こと》だな？
「D《ディ》アンG《ジー》」に死《し》なれるのはとにかく困《こま》るんだ
彼《かれ》に聞《き》かなきゃあならないこともある
『ホワイトスネイク』の正体《しょうたい》は……
正体《しょうたい》は……なんてことだ……!!

……そうだとしたら
どっちだね？
君《きみ》の最優先《さいゆうせん》は？
わたしか？
それとも「D《ディ》アンG《ジー》」を仕止《しと》めることが先《さき》かね？
こいつ……プッチ神父《しんぷ》!!
てめ――
ドオォ
オ

G《グリーン》.D《ドルフイン》.st《ストリート》刑《けい》務《む》所《しよ》
湿《しつ》地《ち》帯《たい》に
棲《す》む生《い》き物《もの》たち
とび
みさご
やし
ブラウンペリカン
スプーンビル
ゼブラバタフライ
オオシラサギ
ソーグラス
シダ
海水《かいすい》→
アリゲーター
クロコダイル
カエル
トキ
ウッドストーク
ラージマウスバス
ロジャーヘッドタートル
ブルークラブ
マングローブ
さくらえび
ガー
マナティー
ブルーギル
←淡水《たんすい》

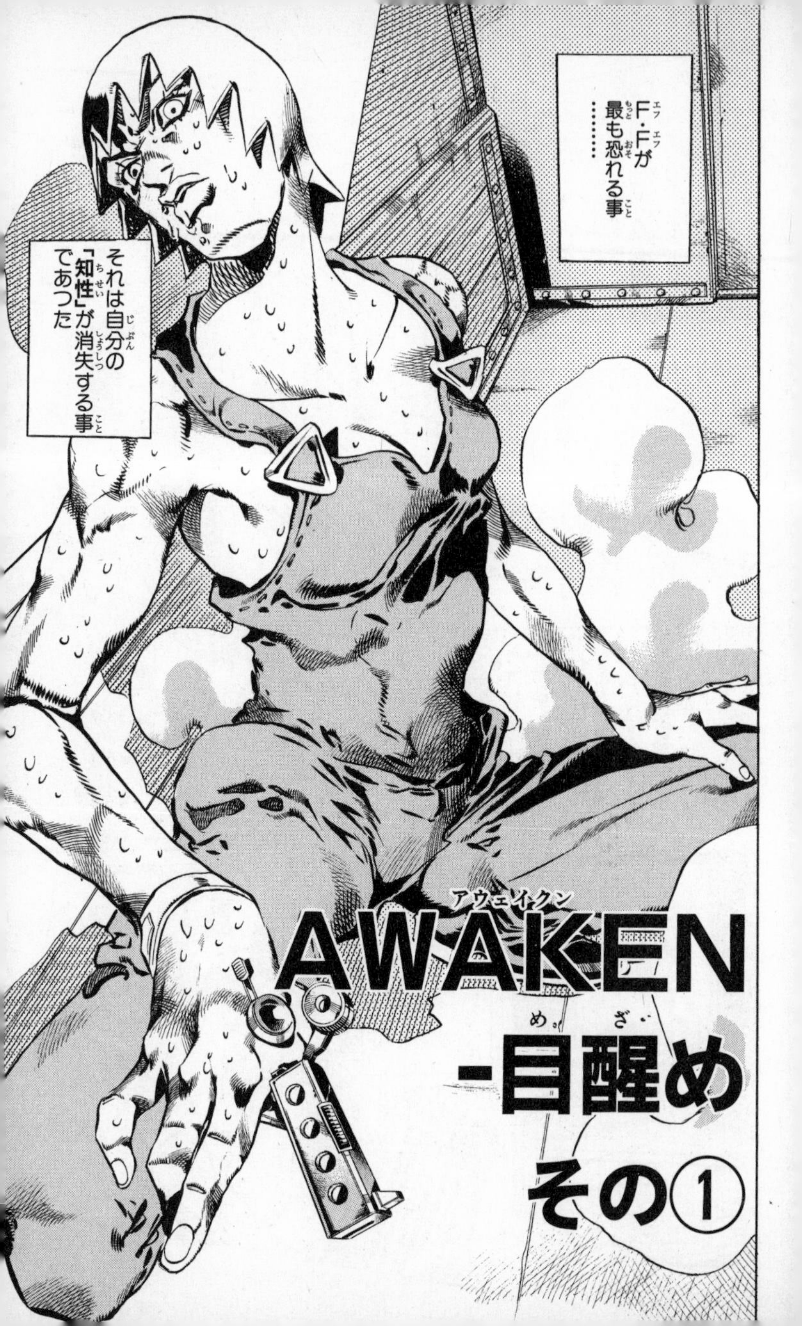
F《エフ》·F《エフ》が最《もっと》も恐《おそ》れる事《こと》……
それは自分《じぶん》の「知性《ちせい》」が消失《しょうしつ》する事《こと》であつた
AWAKEN《アウェイクン》
-目《め》醒《ざ》め
その①

空条《くうじょう》徐倫《ジョリーン》と 農場《のうじょう》で 出会《であ》ってからは……
その後《あと》の事《こと》は なんでも 全《すべ》て覚《おぼ》えている……
HIT ME
刑務所《けいむしょ》の公衆電話《こうしゅうでんわ》の 変《へん》なラクガキ だとか……
ベッドの毛布《もうふ》や ゴミのにおい
扉《とびら》の開閉《かいへい》の 音《おと》や トイレの音《おと》……
徐倫《ジョリーン》たちと 世間話《せけんばなし》をし……
足《あし》の指《ゆび》の形《かたち》が 変《へん》だといって 笑《わら》った事《こと》… 全《すべ》て記憶《きおく》している……
だが 農場《のうじょう》以前《いぜん》の ことは……

ただ命令《めいれい》に従《したが》い……理由《りゆう》も知《し》らないまま
ホワイトスネイクの「DISC《ディスク》」をひたすら守《まも》る……
それしか「記憶《きおく》」にない……
あの場所《ばしょ》で何年間《なんねんかん》も「DISC《ディスク》」を守《まも》り生活《せいかつ》したはずなのに……
ある記憶《きおく》はただそれだけだ……
——機械《きかい》のような記憶《きおく》
生《い》きるという事《こと》はきっと「思《おも》い出《で》」を作《つく》る事《こと》なのだ…
F《エフ》・F《エフ》はそう悟《さと》っていた——
それを失《うしな》うこと…それだけが怖《こわ》い

空条徐倫《くうじょうジョリーン》が父親《ちちおや》のために行動《こうどう》し……
エルメエスとか信頼《しんらい》する者《もの》のために命《いのち》を懸けて行動《こうどう》しているのは……
きっといい「思《おも》い出《で》」が彼女《かのじょ》の中《なか》にあるためなのだ
それが人間《にんげん》のエネルギーなのだ
ゴゴゴゴ
「思《おも》い出《で》」が細胞《さいぼう》に勇気《ゆうき》を与《あた》えてくれるのは間違《まちが》いない
農場《のうじょう》以前《いぜん》のフー・ファイターズにはなかった感覚《かんかく》だ
今《いま》はある！
ゴゴゴ
それが「知性《ちせい》」なのだ！
F《エフ》・F《エフ》はそう悟《さと》っていた
ゴゴゴ

ドドド
ド
ド
ドドド
優先《ゆうせん》するのは…
どっちだね？ わたしか？
それとも「D《ディ》アンG《ジー》」の……命《いのち》か……

一瞬考《いっしゅんかんが》えたなッ!!
その『差《さ》』が命《いのち》とりだぁぁぁぁぁぁぁぁぁぁぁ
ドギュウ

ドバッ
ドバッ
ひっ！
ポ

グアッ!!
ブシュア
ズル
ズズ
おまえに「知性《ちせい》」と「能力《のうりょく》」を与《あた》えたのは…
この わたしだ
フー・ファイターズの「DISC《ディスク》」を
返《かえ》してもらうぞ……
ドドド
ドド
DISC
ズズ
ズル
ああっ
うあ
ドドドド
ドド
DISC

ビシャ
ビシャ
ドドド
ドドド
ば…ばかな
こんな事《こと》が「D《ディ》アンG《ジー》」からの尋問《じんもん》が
手《て》に入《はい》らなくなる…「DIO《ディオ》」の骨《ほね》から生《う》まれえたものが
それが今《いま》どこにあるかがッ！
ホワイトスネイクッ！フー・ファイターズを絶対《ぜったい》に逃《に》がすなッ!!
逃《に》がすなッ！フー・ファイターズの「記憶《DISC》」を読《よ》むのだッ！

ホ…
ホバッ
ホバイト
スネエエエエエ〜〜〜
「体液《たいえき》」が……
こいつの中《なか》に…

!!
なにィ……
……
ドシャ
ビシャ
ビシャ
まさか……
もしかして……
「フー・ファイターズ」！！
「ホワイトスネイク」ッ！
「D《ディ》アンG《ジー》」を守《まも》れッ！！
その
肉体《にくたい》をどかすの
だあ――ッ

!
徐倫《ジョリーン》のことを考《かんが》えると
勇気《ゆうき》がわいてくる
これこそが「思《おも》い出《で》」なんだ……
これが「知性《ちせい》」なんだ

ブシャアーァ
徐倫《ジョリーン》に教《おし》えるんだ……
ホワイトスネイクの正体《しょうたい》は…くそッ！
教戒師《きょうかいし》のロベルト・プッチだという事《こと》を!!
でも その前《まえ》に あの肉体《にくたい》はもう使《つか》えないッ！「水分《すいぶん》」が必要《ひつよう》だ！
ジュルジュル
ドドドド
シュー
シュー
シュー

F《エフ》・F《エフ》だ
ドドド
ドドドド
どうやらやったらしいな
懲罰房棟《ちょうばつぼうとう》で本体《ほんたい》を仕止《しと》めたようだ……
シュー
シュー
!?
ガタッ
シュー
シュー
中味《なかみ》が…
ないぞ……割《わ》れて外《そと》の殻《から》のようなところだけだ

……
……?
ドドドド
ドドドド

………
おい…お…
「手《て》」なのか!?
こいつは…!?
なんなんだ？…産《う》まれたってことなのか!?「緑色《みどりいろ》」の…
「人間《にんげん》」なのか!?こいつは!?
ズルリ
落《お》ちるッ！水《みず》の中《なか》へッ！
ザ

うぐあ……

AWAKEN《アウェイクン》-目醒《めざ》め　その②

AWAKEN《アウェイクン》
-目《め》醒《ざ》め
その②
ド
ザ
ザ
ザ
ザ
ザ
ザ
ザ
ザ

ギャー
バサッ
ギャー
バサッ
ギャー
プカ
プカ
プカ
ザリ
ザ
ド
ド
ド
ドドドド

ドド
こいつはッ！……
ドドドド
この緑色《みどりいろ》の赤《あか》んぼうは……!!?
いったい…どんな目的《もくてき》で生《う》まれて来《き》たのか？
なぜ・・・ここに存在《そんざい》しているのか？
……そして
他《ほか》の囚人《しゅうじん》たちにやったような植物化《しょくぶつか》は！
これが生《う》まれたせいかあたしの体《からだ》のものは止《と》まって関係《かんけい》なくなったみたいだッ！
ドドドド
ドドドド

落《お》ちたぞッ！
くそっ！水《みず》に落《お》ちたッ！
触《さわ》ったようには見《み》えなかった…だが このダメージ何《なに》をしたんだ!?
どこだッ!? どこに落《お》ちたッ！
ドドドド
ズギューン
まさか溺《おぼ》れやがったのかッ！
ブッ
ブッ！ブッ！
ブッ！

ちがうッ！………
あ
あ
あ……
あそ……こよッ!!………
ど
どう…やら……
泳《およ》ぎや
潜《もぐ》りは……
…………!!できないらしいわ！
あ…あ
あそこにいる……ッ!!
り…陸《りく》に降《お》りてるッ！あ……
あそこから左奥《ひだりおく》は
陸地《りくち》になっている！

やはり
あれには
「意志《いし》」がある
……
逃《に》げていると
いう事《こと》は
……
つまり そーゆー
事《こと》だッ!
ドドド
いや……
単《たん》なる「本能《ほんのう》」で
動《うご》いているだけ
なのかも……
とにかく…
植物《しょくぶつ》なのか何《なん》なのか
わからないけれども……
どこへも行《い》って
ほしくないッ!
ドドド
とくに
「ホワイトスネイク」に
渡《わた》すわけには……
「敵《てき》」なんかでは
あってほしく
ないッ!
バシャ
コロ
コロ
コロ

待《ま》てッ! 徐倫《ジョリーン》!
そこで止《と》まれッ!
ザザッ
ザザッ
徐倫《ジョリーン》ッ! 待《ま》てと言《い》ってるんだッ!! 走《はし》るんじゃあないッ!! 足元《あしもと》の石《いし》を見《み》ろ———ッ!

……
……
?
ゴロン
ゴロ
いいか… そこを 動《うご》くな…
オレの 言《い》う通《とお》りに するんだ… だが あわてなくていい
徐倫《ジョリーン》
ふりかえって …… オレを見《み》ろ！
……
……

………
これは……
なんなんだ
異常《いじょう》だぞ…そいつを追《お》うのは
石《いし》がころがって来《き》て…
「岩《いわ》」になった………
そして徐倫《ジョリーン》…君《きみ》は………
逆《ぎゃく》に…
ダッ!!
待《ま》て！近《ちか》づくなと言《い》ってるんだ――――ッ
ザシィイ!!

……
こ…これは！
アナスイ!?
い……いったい!?
身長《しんちょう》が……
あんたの背《せ》が…
小《ちい》さくなったように見《み》えてる！……あんたあたしのこと今《いま》…さっき…
……
……小《ちい》さく見《み》えてたの？あたしは あんたのこと…！大《おお》きく見《み》えてた……だけど…なんなのよ…位置《いち》が入《い》れ替《か》わったら

ゴロ ゴロ ゴロ
これはッ! アナスイ!!
落《お》ちつけ徐倫《ジョリーン》!
……ヤツがはって進《すす》む動《うご》きは人間《にんげん》の赤《あか》んぼうと同《おな》じようにゆっくりだ!
ところでヤツの大《おお》きさはどうみえる? 徐倫《ジョリーン》
そこから緑色《みどりいろ》の赤《あか》んぼうの大《おお》きさはどのくらいに見《み》える?
ふ…普通《ふつう》よ!! さっきと同《おな》じ……
そして今《いま》の岩《いわ》も…
アナスイ あなただけが身長《しんちょう》が低《ひく》くなったように見《み》える!
なんなのよッ!
緑色《みどりいろ》の赤《あか》んぼうのところにころがって「岩《いわ》」が小《ちい》さくなっていったわ!!

オレの位置《いち》からも 赤《あか》んぼうは 普通《ふつう》の大《おお》きさに 見《み》える
決《けっ》して 大《おお》きくは 見《み》えない！
ころがった 岩《いわ》だけが 小《ちい》さくなった
徐倫《ジョリーン》！ そこを動《うご》くなよ！ その位置《いち》に いてくれ…
ザッ
ザッ
ザッ
……
……
……

同《おな》じ身長《しんちょう》に
戻《もど》ったわ……
ゴゴゴ
どういう事《こと》よ!? これは「能力《のうりょく》」ってこと!?
あの緑色《みどりいろ》の赤《あか》んぼうの仕業《しわざ》ってこと!? 赤《あか》んぼうに近《ちか》づくと あたしたちの身長《しんちょう》が小《ちい》さくなっていくという事《こと》なの？
ゴゴゴゴ
見当《けんとう》もつかない…
これがどういう目的《もくてき》の能力《のうりょく》なのか!?
だがかなりヘビーなクエスチョンだな これは…
……
『問題《クエスチョン》』!?
いいか よく考《かんが》えてくれ……
あの赤《あか》んぼうに半分《はんぶん》まで近《ちか》づくとオレの身長《しんちょう》が½になるとする
……
ええ…

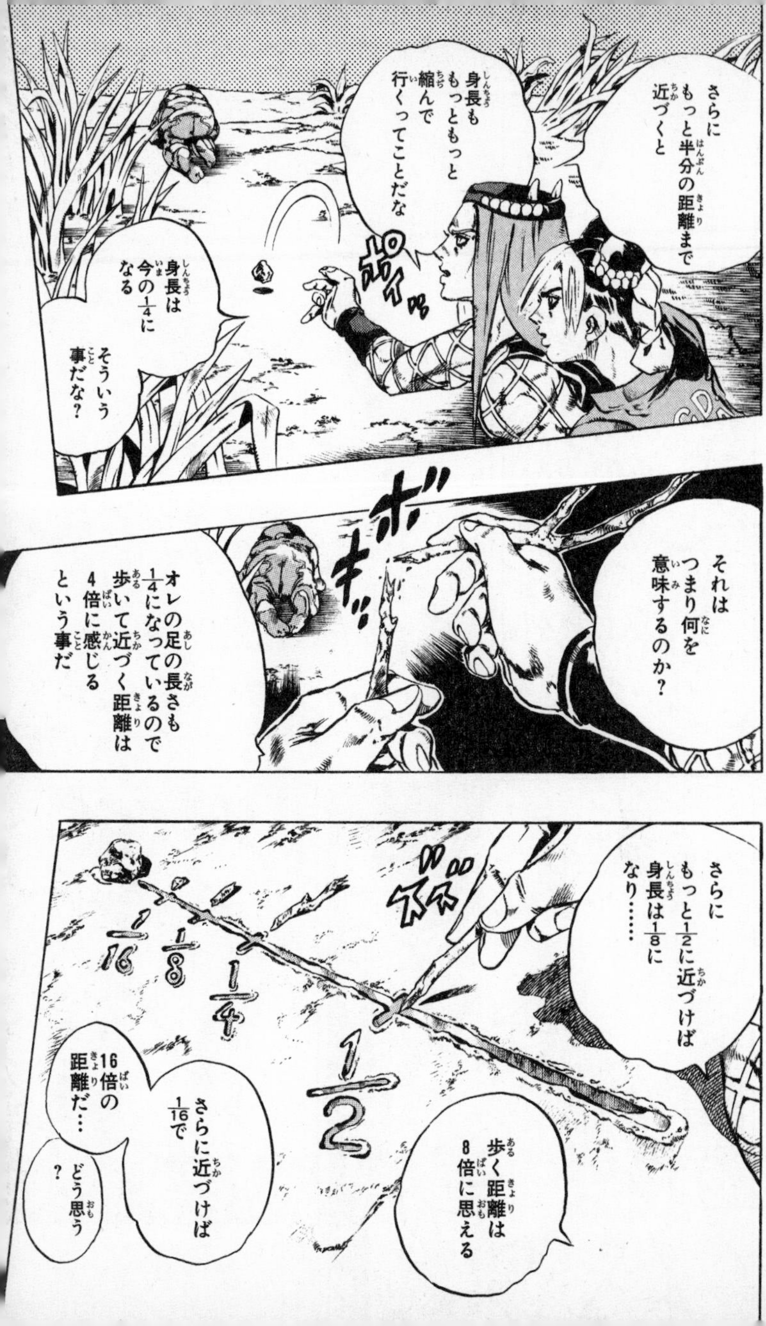

さらに もっと半分《はんぶん》の距離《きょり》まで近《ちか》づくと
身長《しんちょう》も もっともっと 縮《ちぢ》んで 行《い》くってことだな
ポイッ
身長《しんちょう》は 今《いま》の$\frac{1}{4}$に なる
そういう 事《こと》だな？
それは つまり何《なに》を 意味《いみ》するのか？
ボキッ
オレの足《あし》の長《なが》さも $\frac{1}{4}$になっているので 歩《ある》いて近《ちか》づく距離《きょり》は 4倍《ばい》に感《かん》じる という事《こと》だ
さらに もっと$\frac{1}{2}$に近《ちか》づけば 身長《しんちょう》は$\frac{1}{8}$に なり……
$\frac{1}{2}$
$\frac{1}{4}$
$\frac{1}{8}$
$\frac{1}{16}$
歩《ある》く距離《きょり》は 8倍《ばい》に思《おも》える
さらに近《ちか》づけば $\frac{1}{16}$で
16倍《ばい》の 距離《きょり》だ…
どう思《おも》う ？

1/32……
1/64……
……1/128
もっと半分《はんぶん》 どんどん半分《はんぶん》 だが距離《きょり》は 2倍《ばい》!2倍《ばい》を感《かん》じる はずだ!
問題《クエスチョン》とは これだ…
オレたちは あの赤《あか》んぼうに・・・・・・ たどりつくことが・・・・・ できるのか?
ゴゴゴ
オレは 永遠《えいえん》に 到達《とうたつ》できない と思《おも》う
ゴゴゴ
ゴ

ドドドド
ドドド
まさか…
なに言《い》ってんのよ！
あれはノロノロ
はっている赤《あか》んぼうよッ！
行《い》くぞッ！
つかまえられないわけがない!!
ドドド

STAFF

名前通称《なまえつうしよう》：　エンリコ・プッチ
刑務所内教戒師《けいむしよないきようかいし》 神父《しんぷ》

略歴《りやくれき》
世界各国《せかいかつこく》から教会責任者《きようかいせきにんしや》へと
依頼《いらい》があるのだが、自《みずか》ら希望《きぼう》し
てグリーン・ドルフィン・スト
リート刑務所専属《けいむしよせんぞく》の教戒師《きようかいし》と
なって約《やく》8年《ねん》あまり。
服役囚《ふくえきしゆう》をのぞけば最《もつと》も古《ふる》い刑《けい》
務所内従業員《むしよないじゆうぎよういん》である。

スタンド名《めい》　『ホワイトスネイク』

AWAKEN《アウェイクン》
-目《め》醒《ざ》め　その③

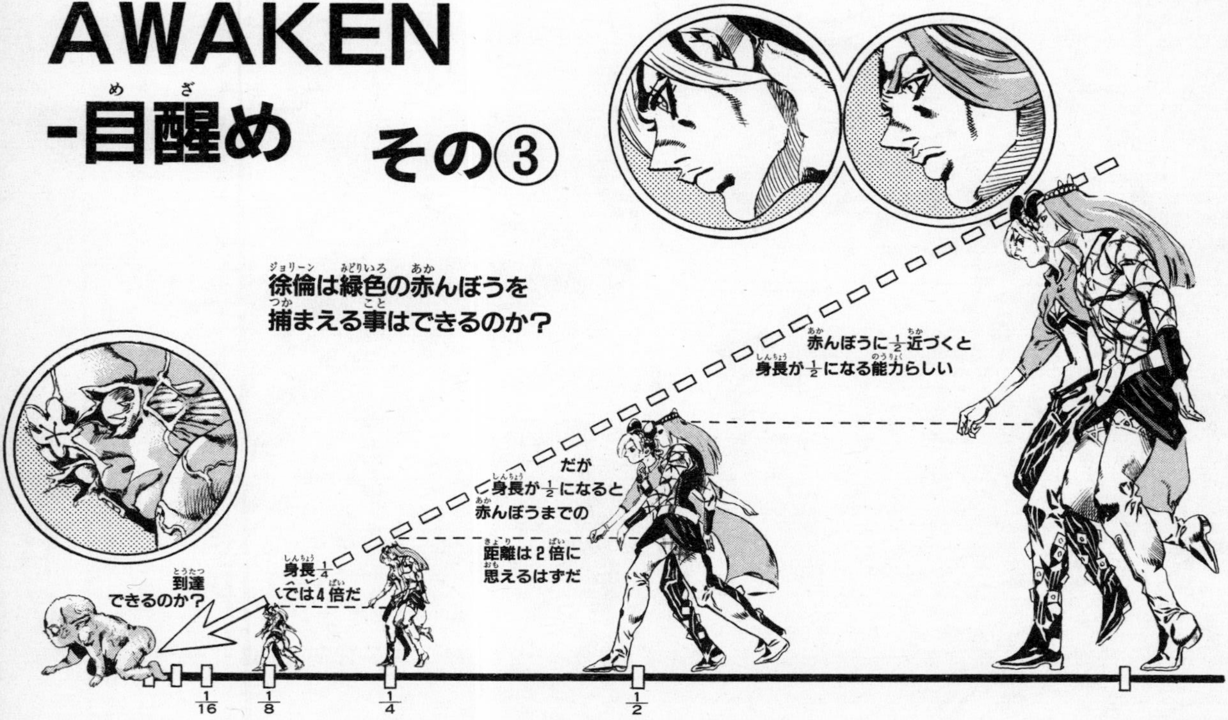

徐倫《ジョリーン》は緑色《みどりいろ》の赤《あか》んぼうを
捕《つか》まえる事《こと》はできるのか？
赤《あか》んぼうに$\frac{1}{2}$近《ちか》づくと
身長《しんちょう》が$\frac{1}{2}$になる能力《のうりょく》らしい
だが
身長《しんちょう》が$\frac{1}{2}$になると
赤《あか》んぼうまでの
距離《きょり》は2倍《ばい》に
思《おも》えるはずだ
身長《しんちょう》$\frac{1}{4}$では4倍《ばい》だ
到達《とうたつ》
できるのか？
$\frac{1}{16}$
$\frac{1}{8}$
$\frac{1}{4}$
$\frac{1}{2}$

待《ま》て徐倫《ジョリーン》!
こっちをみるんだ
G.D. St. JAIL
なんだあれは……!!
聞《き》こえるぞ……
だんだん近《ちか》づいてくる
ワン
ワン
ワン
ワン
ワン

ワン
ワン
クソッ 看守《かんしゅ》どもの犬《いぬ》だ…
ワン ワン
臭《にお》いをかぎわけられるぜ……
ワン ワン
ボートごとどこかに隠《かく》れないと湿地帯《しっちたい》に足《あし》どめをくっちまう……!
ゴゴゴ
ゴゴゴ
アナスイ… 刑務所中《けいむしょじゅう》があたしたちを探《さが》しているというなら
ゴゴ
正体《しょうたい》はわからないがあの『ホワイトスネイク』!
アイツも もはや… 看守《かんしゅ》たちに混《ま》じるとかしてすぐ近《ちか》くまでせまって来《く》るはず……
そして ホワイトスネイクはあたしの父《とう》さんの……「記憶《DISC》」から
ゴゴゴ
あの赤《あか》んぼうの「能力《のうりょく》」の事《こと》を知《し》っていて
ヤツだけがその「能力《のうりょく》」を利用《りよう》できると考《かんが》えるべき!
ゴゴ

このまま「赤《あか》んぼう」をはなすわけにはいかない
ホワイトスネイクが赤《あか》んぼうを手《て》に入《い》れた瞬間《しゅんかん》……父《とう》さんの「記憶《DISC》」は永遠《えいえん》に取《と》り戻《もど》せなくなる……全《すべ》ては終《お》わる
ザザッ
ザザッ
待《ま》て！いいか…よく考《かんが》えずにあの赤《あか》んぼうの「能力《のうりょく》」に近《ちか》づくのは危険《きけん》だ
考《かんが》えるのはッ！アナスイ……
ここはまず「猟犬《りょうけん》」どもをやりすごすのだ!!

行《い》くところまで…………行《い》ってみてからよ…………!!
ドドドド
ドド
ドド

………………
「集中力《しゅうちゅうりょく》」……か……
徐倫《ジョリーン》の ひとつの事《こと》をみつめる あの「集中力《しゅうちゅうりょく》」……
きっとオレは彼女《かのじょ》の それに引《ひ》きつけられて ここにいるのだ
ワン
ワン
ワン
ワン
「集中力《しゅうちゅうりょく》」は 美《うつく》しさを際立《きわだ》たせる ……その瞳《ひとみ》…… そしてそのうち このオレのことも みつめさせてやる ……その集中力《しゅうちゅうりょく》で ……
ドシュ
G.D.St JAIL
ゴ
ゴ

ズオ
オオオオオ
アナスイの予想通《よそうどお》りか……
赤《あか》んぼうまでの距離《きょり》が どんどん長《なが》く感《かん》じてきた
オオ
オオ

ドド
ドドド
ドド
ドシュ
ルルル
ルルルル
『ストーーン・フリイイーーッ』
シュゴ
オォオ

もうすぐとどくッ！赤《あか》んぼうはそこにいるッ！
あと少《すこ》しで「糸《いと》」が巻《ま》きついてつかまえられる!!
シュルルルルルル
アアアー
カポッ

だめだッ！ 徐倫《ジョリーン》ッ！
体《からだ》が崩《くず》れてきているぞッ！ それ以上《いじょう》「糸《いと》」を放出《ほうしゅつ》するんじゃあないッ！
たとえ飛《と》ばした「糸《いと》」だろうと あの赤《あか》んぼうに近《ちか》づけば近《ちか》づくほど「糸《いと》」の「太《ふと》さ」も 1/2！ 1/2！ 1/2！ 1/2とどんどん細《ほそ》くなっていってるという事《こと》ッ！
限界《げんかい》だ！ 徐倫《ジョリーン》 糸《いと》を戻《もど》せッ!!
ち…違《ちが》うッ！ 納得《なっとく》できないッ！
そしてこれで証明《しょうめい》されたッ！ あの赤《あか》んぼうに到達《とうたつ》する方法《ほうほう》はないんだ!!
ドドド
「終点《しゅうてん》」はあるはずッ！ そこにいるのよッ！ すぐそこよッ！ 絶対《ぜったい》に追《お》いつけるはずッ！
ドドド

…………
ここから「飛《と》びおりる」って考《かんが》えるのはどう？

飛《と》びおりれば「終点《しゅうてん》」はあるわ!
全《すべ》てのものは地面《じめん》に落《お》ちる
ゴゴゴ
身長《しんちょう》が小《ちい》さくなっていこうが距離《きょり》が長《なが》く感《かん》じられようが関係《かんけい》ない必《かなら》ず着地《ちゃくち》する
あの赤《あか》んぼうに追《お》いつく方法《ほうほう》!「地面《じめん》」が終点《しゅうてん》なのよ!必《かなら》ず捕《つか》まえられるッ!
たしかに……地面《じめん》が「終点《しゅうてん》」なら……
できるかもしれない…
だがもし!飛《と》びおりて…
地面《じめん》に到達《とうたつ》できなかったら……どうやって「上《うえ》」へ戻《もど》ってくる?どこまで落《お》ちていく…
バッ

待《ま》て徐倫《ジョリーン》ッ！早《はや》ま……

やった！
地面《じめん》はすぐそこだッ！
すぐに手《て》がとどくッ！
赤《あか》んぼうを傷《きず》つけずに地面《じめん》に落下《らっか》しなくてはッ！
なんだ!?「糸《いと》」が引《ひ》っぱられている……!!
赤《あか》んぼうにとどかなかったら回収《かいしゅう》していた「糸《いと》」が……!!
!?
お……

何《なん》だ……
お……
重《おも》いぞッ!
G.D. st
ガシ
ガシ
ガシ
ガシ
ガシ
ガシ
ガシ
ガシ
ガシ
ガシ
ガシ

アム！
アムウッ！アムウッ！

……
な…なんだ!?
ウ
うっ
うっ
ウウウバァァアアアアア
こ…こいつは!?
い…いつから糸《いと》につかまっていたんだ?
ま…まさか!こいつが あの緑色《みどりいろ》の赤《あか》んぼうのスタンド!
これがスタンドの「姿《すがた》」!!?

グオン
くそっ!地面《じめん》はまだかァ――ッ!?
あんなに近《ちか》くに見《み》えてるのに!!いつになったら地面《じめん》に到着《とうちゃく》するんだ!?
こいつは倍《ばい》!倍《ばい》に!でっかくなって向《む》かって来《く》るッ!

パ…パワーまでだ
(倍《ばい》…倍《ばい》)で……
赤《あか》ん坊《ぼう》はすぐそこなんだッ!
だ…だが……まさか
このまま地面《じめん》に到着《とうちゃく》できないのでは……
い…いや!……そんな事《こと》がッ!
こんな事《こと》がッ!

PRIVILEGE CARD

名前通称《なまえつうしよう》：　緑色《みどりいろ》の赤《あか》ちゃん
（名前《なまえ》－なし）

略歴《りやくれき》　プッチ神父《しんぷ》が追求《ついきゆう》する謎《なぞ》のパワー、「天国《てんごく》へ行《い》く方法《ほうほう》」により、DIO《ディオ》の指《ゆび》の骨《ほね》は懲罰房棟《ちようばつぼうとう》囚《しゆう》、38名《めい》の生命《せいめい》を植物《しよくぶつ》に変化《へんか》させた。そこから生《う》まれた「生《い》き物《もの》」。

スタンド名《めい》　『謎《なぞ》』

まさか……
永遠《えいえん》に
落《お》ちつづける!?
そして
この「スタンド」!!
……
あたしをひきずり込《こ》む
ために出《で》て来《き》た?
……
この永遠《えいえん》の世界《せかい》から
脱出《だっしゅつ》させない
ために……
ううう
バアアアアアアアアー
AWAKEN《アウェイクン》-目《め》醒《ざ》め
その④

AWAKEN《アウェイクン》
-目《め》醒《ざ》め
その④

こいつを捕《つか》まえるッ！これが赤《あか》んぼうの能力《のうりょく》というならスタンドを捕《つか》まえれば……
ドバアアアア
つまり こいつを雁字《がんじ》がらめに捕《つか》まえれば！本体《ほんたい》の赤《あか》んぼうを捕《つか》まえるという事《こと》ッ！
ズルッ

む…………
向《む》かって巨大《きょだい》になって来《き》てるから網《あみ》の大《おお》きさが間《ま》に合《あ》わないッ!
オラァアッ!!

ドァシィィ
ズギュッ
ギュ
ギュギュン
ィ
ィィ
うっ……うう……
うおああっ……

わああああああああああ
し……しぼんでい……
……くっ!!体《からだ》がッ!!あたしを『ゼロ』にするために……!
終点《しゅうてん》はこのスタンドなのだ!!

「ダイバー・ダウン」
……

アナスイッ!!
登《のぼ》るんだ 徐倫《ジョリーン》!
これで証明《しょうめい》された わけだ…$\frac{1}{2}$ $\frac{1}{2}$と 縮《ちぢ》んでいく限《かぎ》り決《けっ》して あの赤《あか》んぼうには到達《とうたつ》 できないという事《こと》が…
ハァー
ハァー
そして こんな 能力《のうりょく》を持《も》つ 赤《あか》んぼうが 何《なん》のために 産《う》まれたのか わからないが
こいつは いずれ 敵《てき》になるぞ!
徐倫《ジョリーン》! 君《きみ》の敵《てき》だ この赤《あか》んぼうはッ!
キョロ

ドォ
オオオオ

……
くん
くん
くん
くん
チョン
チョン
コロ
コロ
ヒョイ
ヒョイ
徐倫《ジョリーン》
行《い》くんだ！

ボートまで戻《もど》るんだッ！ このままの大《おお》きさでいるのは危険《きけん》だッ！
で…… でもッ！
赤《あか》んぼうを このまま離《はな》すわけにはいかないッ！「無敵《むてき》」だっていうのなら なおさら！ ホワイトスネイクには絶対《ぜったい》に渡《わた》せないッ！
いいから上《うえ》に登《のぼ》るんだッ！ またスタンドが大《おお》きくなって向《む》かって来《く》るぞッ！ オレたちも早《はや》く元《もと》に戻《もど》るんだッ！
ヒョイ
……

アナスイ なにかに つかまってエェェ エエ――――ッ
ドグオ
オ
オ

うおおおおお
投《な》げたわ……「石《いし》」を……このスタンド……これはッ！
つまり これって……
「考《かん》えてるって事《こと》」？「石《いし》」をこっちに向《む》かって投《な》げれば2倍《ばい》2倍《ばい》と巨大《きょだい》になる……その風圧《ふうあつ》を！この赤《あか》んぼう知能《ちのう》があって……自分《じぶん》の能力《のうりょく》を考《かんが》えて使《つか》い始《はじ》めたって事《こと》！
来《く》るぞッ 登《のぼ》れェェーーーッ!!
早《はや》く ここを脱出《だっしゅつ》するんだあああーーッ

オラオ
オラオラ
ヒュン
ヒュン
こいつっ！学習《がくしゅう》しているッ！高《たか》く投《な》げ始《はじ》めたぞッ!!
走《はし》れッ!!石《いし》の落下《らっか》より早《はや》く走《はし》るんだアアア～～～ッ

うわあぁあああ
ガガ
ガリ
ドグオ
ガリ
ああああ
あああああ
ガリ
ガリ
ガリ
ガリ

だ……！
アナスイだめだッ！
ゆ…指《ゆび》がッ！
こらえるんだ
徐倫《ジョリーン》ッ！
……もうすぐだ!!
オレたちが
あの赤《あか》んぼうに
到達《とうたつ》する事《こと》は
決《けっ》してないが
……
これで……
このスタンドは
捕《つか》まえる事《こと》は……
できた

これで 捕《つか》まえるのに ヤツは いい 「大《おお》きさ」に なってきた……
あの 赤《あか》んぼうは 君《きみ》のブーツを 手《て》で拾《ひろ》った…
君《きみ》のぬげ落《お》ちた ブーツは 赤《あか》んぼうの興味《きょうみ》を 引《ひ》き 拾《ひろ》われたんだ
G.D.st JAIL

ガシィ
徐倫《ジョリーン》 まだ見《み》えないのか？
オレと君《きみ》が今《いま》…何《なに》に向《む》かって登《のぼ》ってきたのかを……
君《きみ》が赤《あか》んぼうに向《む》かって草《くさ》の葉《は》の上《うえ》からダイブした時《とき》
赤《あか》んぼうのそばに「空《から》ビン」をころがして来《き》た……
ボートから取《と》ってきたヤツをな……赤《あか》んぼうに知能《ちのう》があるかどうかの賭《か》けだったがやはり！

赤《あか》んぼうには知能《ちのう》があり 好奇心《こうきしん》があり！ ビンを拾《ひろ》ったわけだ……
つまりビンは『元《もと》のままの大《おお》きさ』でいる！ ビンには到達《とうたつ》できた！
オレたちと スタンドは今《いま》 その中《なか》を走《はし》っている！ あとはこいつを ここに 閉《と》じ込《こ》めるだけだ！

スタンド名《めい》—『？』

本体《ほんたい》—緑色《みどりいろ》の赤《あか》ちゃん。名前《なまえ》は？

破壊力《はかいりょく》—？	スピード—？	射程距離《しゃていきょり》—？
持続力《じぞくりょく》—？	精密動作性《せいみつどうさせい》—？	成長性《せいちょうせい》—？

能力《のうりょく》—緑色《みどりいろ》の赤《あか》んぼうに触《ふ》れようと近《ちか》づく者《もの》は$\frac{1}{2}$の距離《きょり》に近《ちか》づくと身長《しんちょう》が$\frac{1}{2}$縮《ちぢ》む。さらに$\frac{1}{2}$近《ちか》づくとさらに身長《しんちょう》も$\frac{1}{2}$縮《ちぢ》んでいく。はたして赤《あか》ちゃんに到達《とうたつ》できるのか？　その果《は》てからやって来《き》たスタンドがこれである。全《すべ》ての正体《しょうたい》は不明《ふめい》。

A《エー》—超《ちょう》スゴイ　B《ビー》—スゴイ　C《シー》—人間並《にんげんなみ》　D《ディー》—ニガテ　E《イー》—超《ちょう》ニガテ

ホワイトスネイク
-追跡者《ついせきしゃ》 その①
徐倫《ジョリーン》…君《きみ》には言《い》わないが……
ドドド
赤《あか》んぼうの「スタンド」をビンに閉《と》じ込《こ》めた今《いま》……
このままオレは……「赤《あか》んぼう」を始末《しまつ》する！
ドドドド
ホワイトスネイクから君《きみ》の父親《ちちおや》のDISC《ディスク》を
とり戻《もど》すためにはこいつが必要《ひつよう》かもしれない……
だがこの「赤《あか》んぼう」は危険《きけん》すぎる……
この成長《せいちょう》の先《さき》には「敵《てき》」になるという文字《もじ》しかオレには見《み》えないぜ……

この「赤《あか》んぼう」の能力《のうりょく》には「無限《むげん》の暗黒《あんこく》」しか感《かん》じないッ！
ス…スタンドを閉《と》じ込《こ》めたって……アナスイ
このビンは強化《きょうか》ビニールじゃないの？そして ここは！『ビンの底《そこ》』……!!
今《いま》のうちに殺《や》る必要《ひつよう》があるッ！こいつは敵《てき》なんだッ！

ホワイトスネイク
ー追跡者《ついせきしゃ》
その①
あたしたちはどうやってここから脱出《だっしゅつ》するのよォォォォォーーッ

ズズ!!
ズ
ズズ
ズ
ズ
『ダイバー・ダウン』を潜行《せんこう》させている!!

ビンの『壁《かべ》』……!!そのものにな……

ドオオオ
『ダイバー・ダウン』が『ビンの口《くち》』を壁面《へきめん》でスリ動《うご》かしているッ!!『ビンの口《くち》』が来るッ!!

出《で》るぞ徐倫《ジョリーン》ッ!!
突《つ》っ込《こ》めエエえ———ッ!!

ガリ
ガリ
ガリ
ガリ

ダイバー・ダウンがビンの口《くち》に栓《せん》をした…
ぐ
これで捕《と》えた…本体《ほんたい》の赤《あか》んぼうも同様《どうよう》にな……
……

……
……
フン…そのビンの栓《せん》を抜《ぬ》く知能《ちのう》があるというのか！
だが たとえあったとしてもその栓《せん》をぬく「力《ちから》」やビンを砕《くだ》く「力《ちから》」はまだ赤《あか》んぼうのおまえにはないだろう…
まず オレはこのまま元《もと》の大《おお》きさに戻《もど》る
そしてビンごとあのスタンドをたたく
徐倫《ジョリーン》…こいつは消《け》した方《ほう》がいいんだ
ゴロ
ゴロ
ゴロ
ゴロ

ゴロゴロ
ゴロ
ゴロ
ゴロ
ゴロ
……
ゴロ
ゴロ
ゴロ
ハッ!
グルウウン
!!

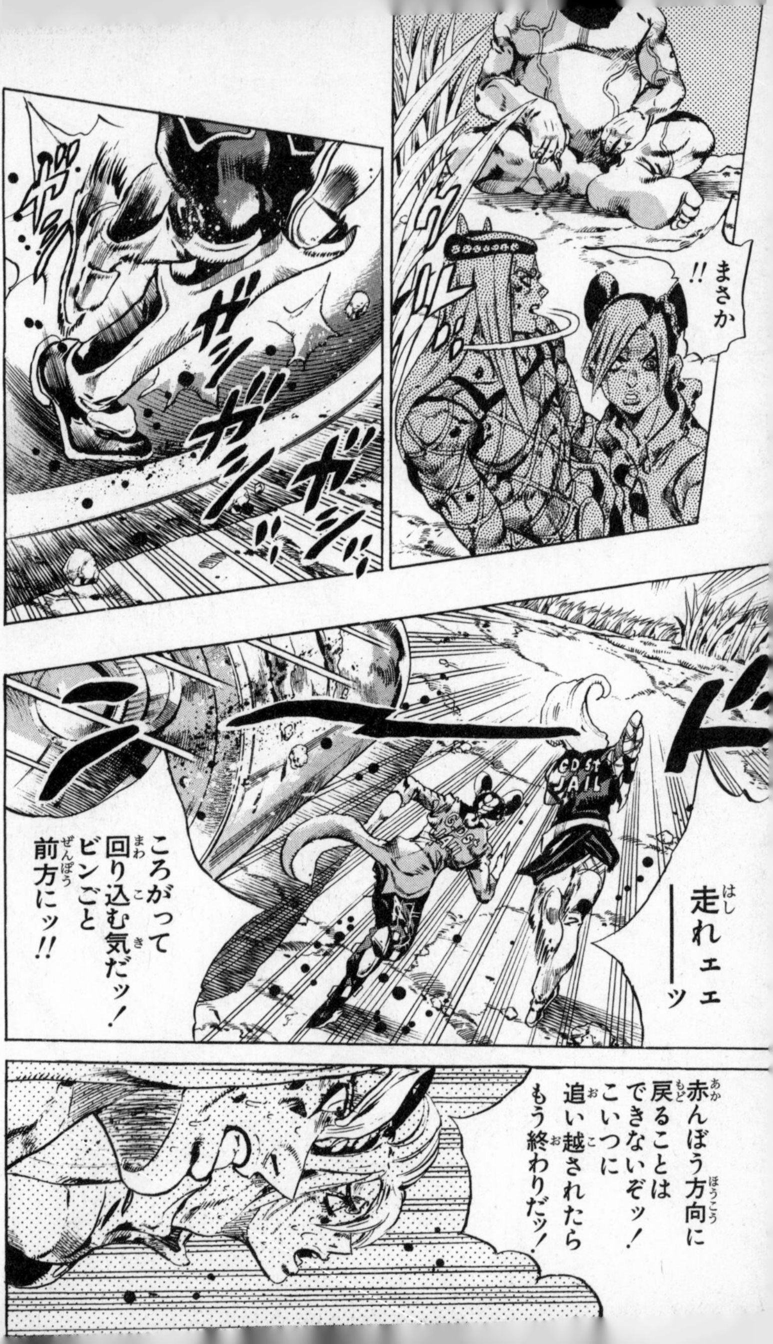
まさか!!
ガシッ
ガシッ
ガシッ
走《はし》れェエーーッ
ころがって回《まわ》り込《こ》む気《き》だッ! ビンごと前方《ぜんぽう》にッ!!
赤《あか》んぼう方向《ほうこう》に戻《もど》ることはできないぞッ! こいつに追《お》い越《こ》されたらもう終《お》わりだッ!

ドグジャア
ズグオ!!

うおおおおおおおおお
アナスイッ!!
うぉぐあっ!
『ストーン・フリィーーッ』

ピシ
ピシ
徐倫《ジョリーン》！ビンを破壊《はかい》してはならんッ！
出《で》て来《き》たこいつに捕《つか》まる方《ほう》が最悪《さいあく》だッ！
でも このままだとあんたが押《お》しつぶされてしまうッ！
か…考《かんが》えた…というのか…!! あの「赤《あか》んぼう」が…こうなる事《こと》を「計算《けいさん》」してビンをころがしたというのかッ！
くそっ！なんて事《こと》だッ!!
ドドド
ドド
徐倫《ジョリーン》！ビンを破壊《はかい》するなァ――っ

チョン
チョン
チョン
クルッ
ハッ
………
ガバァッ

……
!?
……
はッ！
ア…
アナスイッ!!
こ…
これはッ！
ズズ…
……

……
ヒン…
な…なんなのよッ!? これ!?
どっ! どうなってんのよ——
元《もと》の大《おお》きさに戻《もど》ってんの? あたしたちッ!
徐倫《ジョリーン》…ビンを割《わ》ったのか……
そしてどうやらその「赤《あか》んぼう」……好奇心《こうきしん》がわいたようだ
そいつが君《きみ》に興味《きょうみ》を示《しめ》して君《きみ》に触《ふ》れたから攻撃《こうげき》をやめて元《もと》の大《おお》きさに戻《もど》れたようだ…オレたちは…
君《きみ》の上着《うわぎ》が脱《ぬ》げて……君《きみ》の左肩《ひだりかた》にあるその「星《ほし》のアザ」に……

興味《きょうみ》をそそられているようだ……
!!
ア
ア
……というより引《ひ》きつけられたのか？こいつの肩《かた》にも同《おな》じ形《かたち》のアザがある……
何者《なにもの》なんだこいつはまるで以前《いぜん》から徐倫《ジョリーン》を知《し》ってるかのようだ
ね…ねえ…
ア
ア
な…なんか
なついちゃってるような感《かん》じなんだけど……
ど…どうしよう？
なついてるだと？
違《ちが》う…間違《まちが》いないこいつは絶対《ぜったい》「敵《てき》」になる！
今《いま》…殺《ころ》しとかないと「能力《のうりょく》」だって奥《おく》になにか秘《ひ》めてるのかもしれん！
ワン
ワン
とりあえず徐倫《ジョリーン》…ここは犬《いぬ》どもから逃《に》げるんだ……

本体《ほんたい》
プッチ神父《しんぷ》
本体《ほんたい》
F《エフ》・F《エフ》
『ホワイトスネイク』VS《バーサス》『フー・ファイターズ』
人《ひと》の「心《こころ》」を
記憶《きおく》とスタンド能力《のうりょく》の
2枚《まい》のDISC《ディスク》として
取《と》り出《だ》す能力《のうりょく》を持《も》つ。
現在《げんざい》空条《くうじょう》承《じょう》太《た》郎《ろう》の
記憶《きおく》のDISC《ディスク》を持《も》ち、
「生《う》まれたもの」を
追《お》っている。
DISC《ディスク》により知能《ちのう》を持《も》った
プランクトンの集合体《しゅうごうたい》の
新生物《しんせいぶつ》。
本体《ほんたい》F・F（エフエフ）は
懲罰房棟駐車場内《ちょうばつぼうとうちゅうしゃじょうない》で
肉体《にくたい》を失《うしな》いスタンドだけが
露出《ろしゅつ》した。
ホワイトスネイク
ー追跡者《ついせきしゃ》
その②

ビシ
何分《なんぷん》・・もつ？
この露出《ろしゅつ》した体《からだ》で…
30秒《びょう》か？それとも1分《ぷん》？
ボロ
ボロ…
ドドドド
湿地帯《しっちたい》までこの懲罰房《ちょうばつぼう》を出《で》て岩地《いわち》を走《はし》り東《ひがし》へ3〜400メートルッ！
水《みず》がいるッ！
ボロ
ボロ
ビシ
ドド
水道《すいどう》でいいッ！
ドド

なんとしても湿地帯《しっちたい》まで行《い》くッ！
あの神父《しんぷ》がホワイトスネイクだという事《こと》を必《かなら》ず徐倫《ジョリーン》に知《し》らせなくてはッ！

ドン
おもての水道《すいどう》まで行《い》こうとしているのか？
だがその前《まえ》に…
ひとつ聞《き》いておきたいことがある…

くらえッ！
フー・ファイターズ
ッ！
ギャー

ドスッ
うおあああああああ
うおおおおおおおおおおおおお

生《う》まれたものに・・ 逃《に》げられる事《こと》を 心配《しんぱい》してるのか
見失《みうしな》う 事《こと》を…
動《うご》いた のか？
………… 早《はや》くも？
さぁね ……
でも それより 始末《しまつ》されるかもって ことを心配《しんぱい》するんだな
いや……
もうすでに 始末《しまつ》されてるかもな… 徐倫《ジョリーン》は ちっとも やさしくないヤツと 一緒《いっしょ》だからな…
やばいと 思《おも》ったら 彼《かれ》はやる
…………
グッチョを やったヤツのことか ？
そいつの事《こと》は わたしは 知《し》らないが…
だが… 始末《しまつ》なんてことは ありえないんだ 「フー・ファイターズ」
絶対《ぜったい》に ありえない
何者《なにもの》も それを 消《け》すことは できないんだ
それは よくわかって いる
徐倫《ジョリーン》が よけいな事《こと》をして 見失《みうしな》う事《こと》だけが 心配《しんぱい》だ…
承太郎《じょうたろう》の記憶《きおく》だけが 生《う》まれたものを 「支配《しはい》」できる………

ただひとつの事《こと》だ
君《きみ》は見《み》たのか？奥《おく》の懲罰房《ちょうばつぼう》で……
何《なに》が生《う》まれたのかを……？
それはどんな物《もの》だった？「植物《しょくぶつ》」なのか？美《うつく》しかったか？
…………
神父《しんぷ》のてめーこそ何《なに》をやっている？この刑務所《けいむしょ》でよォ
なあ…質問《しつもん》したのはこっちだぞ
わたしは君《きみ》の記憶《きおく》を奪《うば》って読《よ》めば生《う》まれたものがどんなのかすぐにわかる
徐倫《ジョリーン》がどこにいるのかもな…
だが君《きみ》の感想《かんそう》をきいておきたいんだ
やわらかそーだと思《おも》ったとか美《うつく》しいと思《おも》ったというのは……
君《きみ》の感想《かんそう》であってDISC《ディスク》の記憶《きおく》じゃあないからな

ドドドド
ドドドド
あああ……あ
ドドドド
あっあああっ
ズル
ズズル
ボロッ
ボロッボロッ
フー・ファイターズ
わたしが…聞《き》いておきたい事《こと》は……だ……

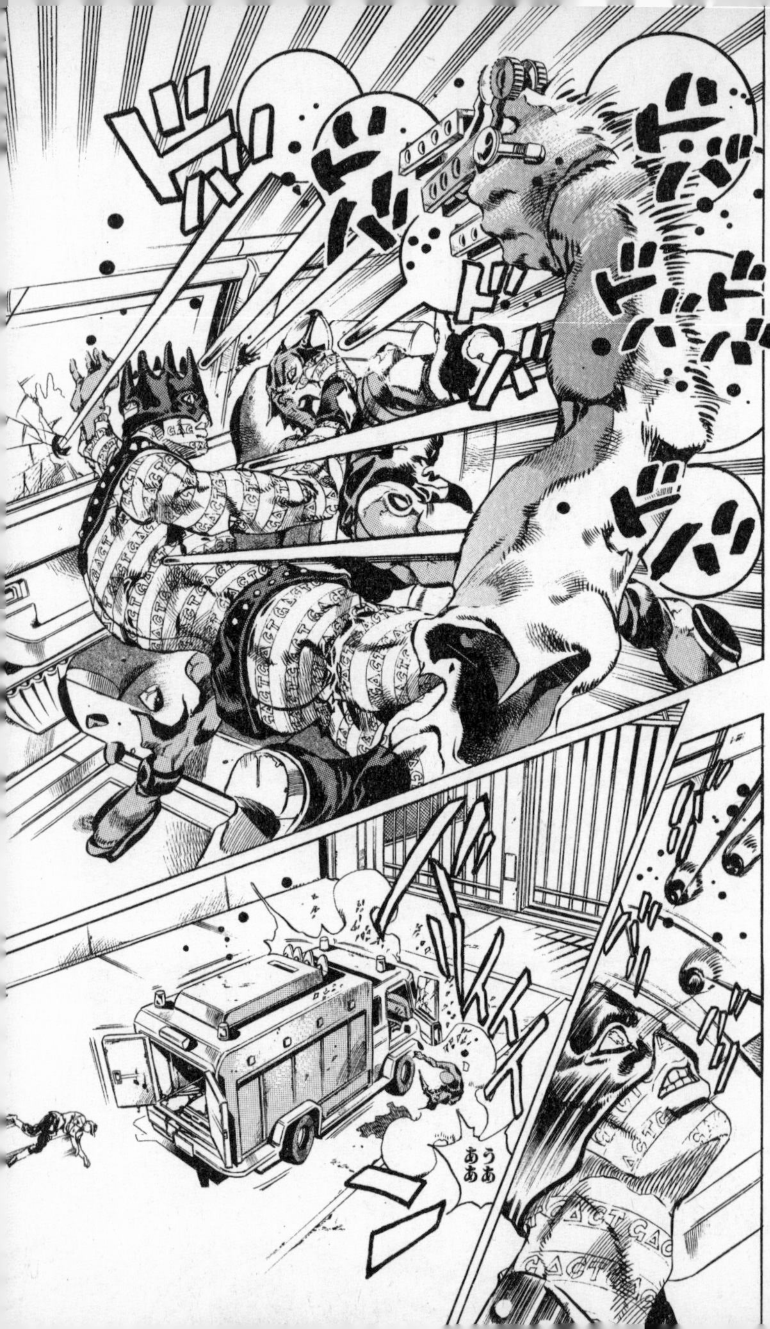
ドバッ
ドバドバ
ドバッ
ドバッ
うああ

その「記憶《きおく》」は私《わたし》が持《も》っている……
あと一歩《いっぽ》のところに来《き》ているのだ！
どんな形《かたち》をしていた？姿《すがた》や大《おお》きさの成長《せいちょう》は早《はや》いと思《おも》ったか？
えーと えーと
水《みず》に溺《おぼ》れそうだと思《おも》った…それから
何《なに》思《おも》ったかなぁ…
ホワイトッ スネイク!!
会話《かいわ》をひきのばして我々《われわれ》の注意《ちゅうい》をそらしているッ！
うしろを見《み》ろッ！

ドドドド
ドドドド
ドドド

やった……ぜ
フー・ファイターズの司令《しれい》している「頭脳《ずのう》」は
……こっちじゃあない
向《む》こうだぜ
車《くるま》から飛《と》び降《お》りた時《とき》……分裂《ぶんれつ》した脚《あし》がな……
「司令塔《しれいとう》」は向《む》こうだ
……
これで「水《みず》」は手《て》に入《い》れた
全《すべ》てを徐倫《ジョリーン》に知《し》らせに行《い》ける

ドドドド
頭脳《ずのう》だと？
おまえの頭脳《ずのう》がどこにあるのか…
決《き》めるのはおまえではない…
スタンド能力《のうりょく》を
DISC《ディスク》で与《あた》えたのは
このわたしだ
ドドド

DISC
これでやっかいなモノはとり除《のぞ》いた
徐倫《ジョリーン》の居所《いどころ》をDISC《ディスク》の記憶《きおく》から読《よ》むのだ

うおあああああああああ
徐倫《ジョリ》イイイイイイン!!

地球上《ちきゅうじょう》の水棲生物《すいせいせいぶつ》が生息可能《せいそくかのう》な最高水温《さいこうすいおん》は摂氏《せっし》32度以下《どいか》らしい…
水《みず》を熱湯《ねっとう》にするスタンド能力《のうりょく》を……
おまえが触《ふ》れた水《みず》はおまえの能力《のうりょく》で次々《つぎつぎ》と沸騰《ふっとう》して行《い》くッ！
DISC《ディスク》としてこいつにさし込《こ》んだ…
水《みず》を供給《きょうきゅう》されたすべてのプランクトンはどうなるかな？おまえの頭脳《ずのう》がどっちか決定《けってい》できるのはこのわたしだけだ……
うう あ
あ…
うああ ああ…徐《ジョ》

うおおおおおっ
こ……これはッ！
ま……まさかッ！
ぜ……全身《ぜんしん》がッ！
こ……この「水道《すいどう》」はッ！
な……なんだとッ！
熱湯《ねっとう》だ……
この噴《ふ》き出《だ》してるものはッ！

プランクトンごときがわたしに向《む》かって得意顔《とくいがお》に解説《かいせつ》を入《い》れるんじゃあないッ

■ジャンプ・コミックス

ジョジョの奇妙な冒険 PART 6

ストーン オーシャン

10 AWAKEN－目醒め

2002年2月9日　第1刷発行

著　者　荒木飛呂彦

編　集　ホーム社

東京都千代田区一ツ橋2丁目5番10号
〒101-8050
電話　東京　03(5211)2651

発行人　山路則隆

発行所　株式会社　集英社

東京都千代田区一ツ橋2丁目5番10号
〒101-8050
電話　東京　03(3230)6233(編集)
03(3230)6191(販売)
03(3230)6076(制作)

Printed in Japan

印刷所　株式会社　美松堂
中央精版印刷株式会社

ISBN4-08-873225-1　C9979

ジャンプ・コミックス

こちら葛飾区亀有公園前派出所

❶～128

大人気発売中　秋本治

週刊少年ジャンプ連載1,200回突破!!

両さん、ますます笑わせます